Lucile Martin Bordeleau œuvre dans le domaine de la santé depuis plus de vingt-cinq ans. Elle détient un diplôme collégial en sciences humaines; elle est également diplômée en trophologie et en naturopathie de l'Institut naturopathique du Québec.

Avec son mari, Gilles-A Bordeleau ND, elle a dirigé pendant cinq ans une maison de jeûne et de repos à Saint-Sauveur-des-Monts. Elle donne des conférences sur les combinaisons alimentaires et sur les facteurs naturels de santé.

Elle a publié chez ÉdiForma, *Les combinaisons alimentaires (1ère édition/épuisée), Les combinaisons alimentaires; recettes simples et efficaces (épuisé), Le guide pratique des aliments* et *Les bonnes combinaisons alimentaires (la nouvelle édition en format de poche inclut cinquante recettes simples et efficaces).*

De bonnes idées végétariennes

Lucile Martin Bordeleau

À mon mari qui m'a initiée aux sciences naturistes,
à mes enfants et à toutes les personnes qui font
de l'alimentation le point de départ
d'une bonne santé physique et mentale.

De bonnes idées végétariennes

ISBN: 2-921877-00-7

Adjointe à l'édition: Marie Vanasse

Dépôt légal: premier trimestre 1995 — BNQ

Quelques mots avant de vous livrer mes recettes

L'assaisonnement

L'HERBAMARE est un assaisonnement végétal de culture biologique. Il contient du sel de mer, du céleri, du poireau, du cresson, de l'oignon, de la ciboulette, de l'ail, du persil, de la livèche, du basilic, de la marjolaine, du romarin, du thym et du varech.

En ce qui touche l'assaisonnement dans les recettes, je donne des quantités uniquement à titre indicatif. Vous pouvez ajuster selon votre goût. En effet, c'est en goûtant que l'on vérifie si l'assaisonnement est à point.

De la gélatine ou de l'agar-agar

Pour les aspics, je vous suggère de toujours utiliser de la gélatine sans saveur, sans couleur et sans sucre. L'agar-agar est un mucilage fabriqué à partir d'une algue rouge vendue dans la plupart des magasins d'aliments naturels. Vous pouvez remplacer la gélatine par de l'agar-agar. La gélatine commerciale est faite à partir de source animale tandis que l'agar-agar est de source végétale.

Le MORGA

Le MORGA peut facilement remplacer le bouillon de légumes ou encore le bouillon de source animale. C'est un extrait de légumes cent pour cent végétal. Il contient du sel de mer, de l'arôme végétal, de la graisse végétale, des légumes tels que le céleri, l'oignon, le persil, le chou, la carotte, le poireau et la tomate, et des épices telles que la muscade et l'ail. Le MORGA est vendu dans la plupart des magasins d'aliments naturels. C'est un produit de la Suisse.

Le bouillon fait à base de MORGA:

Une cuillerée à thé ou à café par tasse d'eau bouillante.

Les huiles

Les huiles de première pression à froid ou mécaniquement pressées contiennent de la lécithine qui aide à combattre le cholestérol.

Le TARTEX

Le TARTEX est un pâté cent pour cent végétal dont le goût ressemble à s'y méprendre à celui du pâté de foie. Vous pouvez vous procurer du TARTEX nature, aux fines herbes, au paprika, aux champignons... Il est fait d'huile végétale, de fécule de pommes de terre, de purée de tomates, de levure torula, d'épices... On le trouve dans la plupart des boutiques d'aliments naturels. Ce délicieux pâté est vendu dans un contenant métallique.

Le millet

Le millet est une céréale méconnue. Il est riche en hydrates de carbone et il contient une bonne proportion de protéines et de lipides. Selon la sorte de millet, sa teneur en protéines varie de 6,2 p. cent à 12,7 p. cent. On y trouve des vitamines du groupe B comme la thiamine, la riboflavine et la niacine. On y trouve aussi du fer, du phosphore, du calcium, du magnésium et plusieurs autres minéraux et oligo-éléments. Il est aussi une excellente source de lécithine. On a donc avantage à consommer souvent cette céréale.

La farine de sarrasin

La farine de sarrasin est entière; rien n'y est enlevé ni ajouté. Sa valeur vitaminique est naturelle. Le sarrasin contient beaucoup de calcium, de magnésium, de potassium, de phosphore et de vitamines B et E. Le sarrasin est également reconnu pour sa teneur en lysine, un acide aminé que l'on ne trouve pas dans les céréales, et en rutine, une substance qui favorise une meilleure circulation sanguine.

Parce que son grain ressemble à celui d'une céréale, on classe généralement le sarrasin comme tel. En fait, c'est une plante annuelle de la famille des polygonums et apparentée à la rhubarbe et aux épinards. (Source: *La fleur de sarrasin* d'Hélène Proulx).

Le sarrasin est donc un aliment d'une très grande valeur nutritive.

Les nouilles

Je conseille l'utilisation de nouilles aux légumes que l'on trouve dans la plupart des boutiques d'aliments naturels et dans les boutiques spécialisées en pâtes alimentaires.

Le pain au levain

La pâte au levain est la manière traditionnelle de faire le pain. Le levain se prépare une fois, puis il sert à chaque fournée dont on prélève avant la cuisson un morceau qui servira la fois suivante.

Comment préparer le levain

Le levain se prépare de la manière suivante: prendre de l'eau et de la farine de blé dur. Faire une boule de pâte très souple avec l'eau et la farine. On peut faire une boule de la grosseur d'un poing. Mettre cette pâte dans un récipient en verre ou en terre cuite et recouvrir d'un linge. Placer dans un endroit chaud et sans courant d'air. Laisser fermenter pendant trois jours. Après trois jours, la pâte est devenue molle et gonflée de gaz, elle a une odeur aigrelette. Pétrir alors avec une demi-tasse de farine de blé entier et un peu d'eau et la laisser fermenter encore pendant deux jours, après quoi, le levain est prêt. On l'incorpore entièrement à la recette de pain et on en prélève, avant la cuisson, une partie grosse comme le poing. Cette partie prélevée que vous devez garder au frais servira à la prochaine fournée. Si vous ne faites pas votre pain très souvent, je vous conseille de faire votre levain chaque fois.

Le fromage et la farine

Selon la technique des combinaisons alimentaires, le fromage et la farine ne vont pas ensemble. Aussi si vous mangez du fromage et de la farine au même repas, je vous suggère de ne pas manger de dessert. Cela vous évitera des problèmes de digestion.

Les céréales

Je vous conseille de toujours vous servir de céréales entières, autant pour le pain que pour toutes les autres pâtisseries. Les céréales entières contiennent des minéraux, des oligo-éléments (zinc, cobalt, cuivre...) et des vitamines, telles que A, B, E. Le raffinage fait perdre au moins soixante-dix p. cent des substances les plus nutritives, comme le son, le germe et l'enveloppe, ne laissant que le centre du grain qui n'est qu'amidon.

On dit souvent que le pain de blé entier est moins engraissant que le pain blanc. C'est à demi-vrai. La différence de calories entre une tranche de pain blanc (82 calories) et une tranche de pain de blé entier (73 calories) n'est pas énorme. Par contre, le pain de blé entier étant plus nourrissant, on en mange moins. Il en est de même pour le coût du pain. Beaucoup de gens prétendent que le pain de blé entier acheté dans une boutique d'aliments naturels est plus cher que le pain blanc. Le coût à l'achat est peut-être plus élevé mais il est plus économique à l'usage parce qu'on en consomme moins, et de plus on se nourrit plus adéquatement.

La fève ou le germe de soja

Il faut laver et faire tremper les fèves pendant 24 ou 48 heures. Les placer au réfrigérateur pour empêcher qu'elles fermentent. Les faire cuire comme les haricots blancs. Le volume des légumes secs varie selon la durée du trempage. Le haricot et la lentille doublent de volume alors que la fève de soja conserve son volume original.

La caroube

On peut trouver sur le marché des tablettes de caroube sans sucre ni miel, de la caroube en poudre ainsi que des brisures de caroube. La caroube remplace avantageusement le chocolat et le cacao. La caroube est un fruit à pulpe sucrée et comestible. Elle provient du caroubier, un arbre méditerranéen atteignant dix mètres de hauteur. On fait sécher la caroube, on la rôtit et on la pulvérise. La caroube a un goût similaire au chocolat mais elle n'a pas d'effet nocif.

Elle ne contient aucun méthylxanthine, elle a presque huit pour cent de protéines, beaucoup de sucre naturel (environ 45 p. cent), quelques vitamines du groupe B, du calcium, du magnésium et du potassium, quelques oligo-éléments comme le fer, le manganèse, le chrome, le cuivre et le nickel. De plus, elle est trois fois plus riche en calcium que le chocolat et elle contient dix-sept fois moins de gras que le chocolat.

La caroube, une riche source de pectine, aide à la digestion et à l'élimination. La pectine de la caroube est utile pour faire cesser la diarrhée, les nausées et les vomissements. Tout comme les autres fibres, la pectine règle l'estomac et elle aide à éliminer les toxines de l'organisme.

De bonnes idées pour la boîte à lunch...

Avant de vous donner ces idées pour la boîte à lunch, je vous conseille, si vous êtes porté à somnoler au bureau, à l'école ou à l'université de vous abstenir de dessert et de fruits au lunch du midi et à la collation en après-midi. Vous devriez plutôt commencer votre repas par des légumes crus et à la collation encore des légumes crus comme le céleri, la carotte... (voir: *Les bonnes combinaisons alimentaires*).

Des sandwichs...

Étendre de la margarine ou de la mayonnaise sur
des tranches de pain de blé entier.
Ajouter une bonne couche de TARTEX
et une feuille de laitue.
On peut varier en ajoutant des tranches
de concombre
au lieu de la laitue.

•

Étendre une purée d'avocat faite
de chair d'avocat liée à de la mayonnaise
et assaisonnée d'un peu d'HERBAMARE
sur des tranches de pain de blé entier
ou de seigle.
Ajouter une feuille de laitue

•

Étendre de la margarine et
du beurre d'arachides ou cacahuètes naturel
sur des tranches de pain de blé entier.
Ajouter soit de la laitue, de la luzerne
ou du concombre

•

Étendre sur du pain de blé entier
de la mayonnaise ou de la margarine.
Garnir d'une salade faite
de laitue finement coupée,
de carottes râpées,
de concombre coupé en dés, de persil.
Lier avec de la mayonnaise.

D'autres bonnes suggestions...

1.
Des bâtonnets de céleri et un thermos
de riz aux légumes.
Une à deux tranches de pain de blé grillées
et tartinées de TARTEX.

2.
Des tranches de concombre et un thermos
de macaronis aux légumes. Une à deux tranches
de pain de seigle tartinées de margarine.

3.

Des crudités et un thermos d'haricots blancs cuits. Une à deux tranches de pain tartinées de margarine.

4.

Des crudités et de la soupe aux pois. Un sandwich au TARTEX.

5.

Des crudités et du fromage cottage à la macédoine. Des biscottes de blé entier.

6.

Des crudités et une bonne et épaisse soupe minestrone. Un sandwich au beurre d'arachides ou de cacahuètes.

7.

Des crudités et un bouilli de légumes. Une tranche de pain ou du fromage.

8.

Des crudités et un thermos de couscous aux légumes. Un brocoli cuit.

9.

Des crudités et une pointe de pâté de millet ou de sétan. Des haricots verts.

10.

Des crudités avec un sandwich à l'avocat.

De bonnes idées pour le saladier...

Vous pouvez ajouter
dans vos salades
de la luzerne germée,
du blé germé
et de la levure alimentaire en flocons.
C'est délicieux et très nutritif!

1 ***Salade tonifiante***

Mélanger:

1 laitue de votre choix
1 poivron vert coupé en dés
1 concombre coupé en dés
1 tomate coupée en dés
1 c. à soupe de levure alimentaire
2 c. à soupe d'huile de tournesol
ou de safran
HERBAMARE
ou sel végétal
sarriette
marjolaine
fenouil
persil

2 ***Salade automnale***

Mélanger:

1 t. [250 g] de chou râpé
1 t. [250 g] de carottes râpées
1 t. [250 g] de navet râpé
¼ t. [50 g] de radis coupé en dés
4 tranches de concombre coupées en dés
2 c. à soupe d'huile de tournesol /
ou de safran / ou de mayonnaise
1 c. à soupe de persil haché
HERBAMARE ou sel végétal
sarriette
marjolaine
fenouil
persil

3 ***Salade rouge et verte***

Mélanger:

2 t. [500 g] de chou vert râpé
2 t. [500 g] de chou rouge râpé
½ t. [125 g] de chou-fleur finement haché
½ t. [125 g] de poivron vert coupé en dés
4 c. à soupe d'huile de tournesol ou de safran
½ t. [125 g] de carottes râpées
assaisonnement au goût

4

Salade à l'avocat

Mélanger:

1 laitue déchiquetée
1 concombre coupé en dés
1 tomate coupée en dés
2 branches de céleri coupées en dés
1 avocat coupé en dés
2 c. à soupe d'huile de tournesol ou de safran
marjolaine
persil
ou
HERBAMARE

5 ***Salade au fromage***

Mélanger:

1 laitue déchiquetée
1 concombre coupé en dés
1 tomate coupée en dés
2 branches de céleri coupées en dés
½ t. [125 g] de fromage cottage
2 c. à soupe d'huile de tournesol ou de safran
marjolaine
persil
ou
HERBAMARE

6 *Salade au tofu*

Mélanger:

1 laitue déchiquetée
1 concombre coupé en dés
1 tomate coupée en dés
2 branches de céleri coupées en dés
½ t. [125 g] de tofu nature
ou aux fines herbes
2 c. à soupe d'huile de tournesol ou de safran
marjolaine
persil
ou
HERBAMARE

7

Salade aux poivrons

Mélanger:

2 poivrons verts coupés en dés
2 tomates coupées en dés
4 branches de céleri coupées en dés
1 oignon coupé finement (facultatif)
6 olives noires
2 c. à soupe d'huile de tournesol
un peu d'HERBAMARE

Une bonne idée pour le saladier

8 ***Salade marbrée***

Mélanger:

½ laitue
½ t. [125 g] de navet râpé
1 t. [250 g] de carottes râpées
4 tranches de concombre coupées en dés
4 morceaux de betterave cuite coupés en dés
1 touffe de luzerne germée
2 c. à soupe d'huile végétal
un peu de sel végétal

9

Salade tonique

Mélanger:

1 t. [250 g] de navet râpé
1 t. [250 g] de carottes râpées
½ t. [125 g] de betterave râpée
1 t. [250 g] de céleri coupé en dés
2 c. à soupe d'huile de votre choix
1 c. à thé [café] de levure alimentaire
½ t. [125 g] de grenailles
(mélange de graines de tournesol décortiquées,
de graines de sésame, de graines de citrouille
et de graines de lin passé au mélangeur)
un peu de sel végétal

Une bonne idée pour le saladier

10 ***Salade dorée***

Mélanger:

1 t. [250 g] de carottes râpées
½ t. [125 g] de navet râpé
1 t. [250 g] de poivron finement coupé
1 c. à soupe d'huile de votre choix
1 c. à thé [café] de sel végétal

11 *Salade rouge*

Mélanger:

2 t. [500 g] de chou rouge coupé finement
½ t. [125 g] de chou vert coupé finement
1 tomate coupée en dés
1 c. à soupe d'huile de votre choix
sel végétal
ou
HERBAMARE

12 ***Salade de fèves germées***

Mélanger:

2 t. [500 g] de fèves germées
½ t. [125 g] de céleri coupé finement
½ t. [125 g] de tomate coupée en dés
½ oignon vert coupé finement (facultatif)
1 c. à soupe d'huile de votre choix
sel végétal

1 *Potage aux asperges*

1 botte d'asperges
1 pomme de terre moyenne cuite
2 à 3 t. [½ à ¾ l] d'eau bouillante
ou
2 t. [½ l] d'eau
1 t. [¼ l] de lait
HERBAMARE
une noix de margarine

Enlever la partie dure des asperges et garder les pointes. Les laver et les jeter dans assez d'eau bouillante pour les couvrir. Faire cuire à feu moyen environ quinze minutes ou jusqu'à ce qu'elles soient tendres. Mettre tous les ingrédients dans le mélangeur et ajouter un peu d'eau ou de lait si la consistance est trop épaisse. Bien mélanger. Refaire chauffer à feu doux.

2 *Potage aux carottes et au navet*

6 carottes moyennes
½ t. [125 g] de navet
1 c. à thé [café] de MORGA
1 c. à thé [café] d'HERBAMARE
persil

Faire cuire les carottes et le navet dans l'eau jusqu'à ce qu'ils soient tendres. Après la cuisson, mettre le tout au mélangeur pour en faire une purée. Ajouter de l'eau si la consistance est trop épaisse. Assaisonner de MORGA, d'HERBAMARE et de persil. Remettre sur le feu quelques minutes. Délicieux!

3 *Potage aux carottes, au navet et à la betterave*

½ à 1 betterave cuite
6 carottes moyennes
½ t. [125 g] de navet
1 c. à thé [café] de MORGA
1 c. à thé [café] d'HERBAMARE
persil

Faire cuire les carottes et le navet dans l'eau jusqu'à ce qu'ils soient tendres. Après la cuisson, mettre tous les légumes au mélangeur pour en faire une purée. Ajouter de l'eau si la consistance est trop épaisse. Assaisonner de MORGA, d'HERBAMARE et de persil. Remettre sur le feu quelques minutes. Délicieux!

4 *Potage aux pois cassés verts ou jaunes*

2 t. [500 g] de pois verts ou jaunes
1 petit oignon
1 c. à thé [café] de sel de mer
2 ou 3 tiges de persil frais
un peu d'origan et de menthe séchée
MORGA (facultatif)
sel de mer

Laver les pois. Les faire tremper environ deux heures. Les faire cuire dans leur eau de trempage avec l'oignon et le sel de mer. Pendant la cuisson, vérifier s'il y a assez d'eau et en ajouter s'il en manque. Après la cuisson, passer au mélangeur et ajouter tous les autres ingrédients. Ajouter de l'eau si nécessaire pour donner la consistance désirée. Chauffer quelques minutes.

5 ***Potage aux légumes***

1 grosse pomme de terre coupée en dés
4 branches de céleri coupées en dés
2 grosses carottes coupées en dés
1 t. [250 g] de navet coupé en dés
½ t. [125 g] de pois verts
4 t. [1 l] d'eau

des pincées:
de basilic
d'estragon
de marjolaine
de sel de mer

Faire cuire le tout à feu lent.

6 ***Délice-potage aux légumes***

1 grosse pomme de terre coupée en dés
4 branches de céleri coupées en dés
2 grosses carottes coupées en dés
1 t. [250 g] de navet coupé en dés
½ t. [125 g] de pois verts
4 t. [1 l] d'eau

des pincées:
de basilic
d'estragon
de marjolaine
de sel de mer

Réduire en purée au mélangeur. Utiliser moins d'eau pour obtenir une consistance plus épaisse. Faire cuire le tout à feu lent.

7 *Potage aux nouilles et aux trois légumes*

125 g de nouilles
2 t. [½ l] d'eau
¼ t. [50 g] de carottes coupées en dés
¼ t. [50 g] de poivron coupé en dés
¼ t. [50 g] de céleri coupé en dés
1 c. à thé [café] de MORGA (facultatif)
sel de mer

Amener l'eau à ébullition. Y jeter les légumes et les nouilles. Faire cuire quinze minutes environ. Assaisonner.

8 *Crème de céleri*

3 t. [750 g] de céleri coupé en dés
2 pommes de terre coupées en dés
3 t. [3/4 l] d'eau
1 t. [¼ l] de lait
2 c. à soupe de margarine
HERBAMARE
persil

Faire cuire à feu lent le céleri et les pommes de terre dans l'eau. Après la cuisson, passer au mélangeur et ajouter le lait, le sel, le persil et la margarine. Remettre à cuire quelques minutes.

9 ***Potage aux poireaux***

½ t. [125 g] d'oignon émincé
2 t. [500 g] de poireaux coupés en rondelles
des feuilles de poireaux
4 c. à soupe de margarine
1 c. à thé [café] de MORGA (facultatif)
2 t. [500 g] de pommes de terre crues
coupées en dés
4 t. [1 l] d'eau
1 t. [¼ l] de lait
2 c. à soupe de persil haché
HERBAMARE

Dans le litre d'eau, faire cuire à feu moyen les poireaux, les oignons et les pommes de terre. Après la cuisson, passer le tout au mélangeur. Ajouter le lait, le persil, la margarine, le MORGA et l'HERBAMARE. Réchauffer quelques minutes. Servir avec des croûtons chauds.

10 *Minestrone*

125 g de nouilles (facultatif)
1 t. [250 g] de riz brun
1 petit oignon
2 c. à soupe de persil haché
1 c. à thé [café] de sel de mer
½ t. [125 ml] de sauce à la tomate
1 t. [250 g] de céleri coupé en dés
1 t. [250 g] de carottes coupées en dés
½ t. [125 g] de pois verts
1 c. à soupe de MORGA (facultatif)
6 t. [1½ l] d'eau

Dans le litre et demi d'eau, faire cuire le riz à feu moyen pendant trente minutes. Après quoi, ajouter tous les autres ingrédients et laisser cuire dix minutes environ. Ajouter de l'eau si nécessaire.

11 ***Nutri-potage***

2 t. [500 g] de pois verts
2 t. [500 g] de maïs
4 t. [1 l] d'eau
¼ t. [50 g] de fromage râpé faible
en gras (15% maximum)
1 c. à soupe de lécithine en granules (facultatif)
1 à 2 c. à soupe d'huile de tournesol
HERBAMARE

Dans le litre d'eau, faire cuire les pois et le maïs. Quand ces légumes sont cuits, passer au mélangeur avec tous les autres ingrédients. Bien mélanger pour obtenir un potage homogène. Ajouter de l'eau si la consistance est trop épaisse. Au moment de servir, ajouter l'huile.

12 *Potage à la tomate et aux poireaux*

4 tomates
½ poireau
1 t. [¼ l] de lait écrémé ou d'eau
HERBAMARE
persil
Huile de tournesol

Dans un mélangeur mettre les tomates, le poireau, le lait ou l'eau et l'assaisonnement. Bien mélanger. Ajouter un peu d'eau ou de lait si la consistance est trop épaisse. Cuire à feu lent pendant quelques minutes. Au moment de servir, ajouter quelques gouttes d'huile de tournesol.

1 *Asperges au gratin*

asperges
sauce béchamel
fromage râpé
HERBAMARE

Enlever la partie dure des asperges et garder les pointes. Les laver et les jeter dans suffisamment d'eau bouillante pour les recouvrir. Faire cuire pendant quinze minutes ou jusqu'à ce qu'elles soient tendres. On peut aussi les faire cuire à la vapeur. Quand elles sont cuites, les déposer dans un plat allant au four et les recouvrir d'une sauce béchamel. Saupoudrer de fromage râpé, d'un peu d'HERBAMARE et faire dorer. Ne pas jeter l'eau de cuisson, la garder pour un potage.

2 ***Aubergine dorée arrosée de sauce à la tomate***

1 aubergine
2 c. à soupe de farine de sarrasin ou de blé entier
3 tomates de grosseur moyenne/
ou l'équivalent de sauce à la tomate
½ t. [125 ml] d'eau
tranches de fromage maigre à pâte dure
sel de mer
HERBAMARE

Laver et couper l'aubergine en tranches de 1 cm. Faire cuire à la vapeur six à sept minutes. Pendant ce temps, passer au mélangeur les autres ingrédients, sauf le fromage. Faire cuire le mélange ou faire chauffer la sauce à la tomate. Dans un plat allant au four, placer les tranches d'aubergine, verser la sauce et recouvrir de tranches de fromage. Mettre au four pendant trois à quatre minutes. *Certains mangent l'aubergine avec la pelure d'autres non.*

3 *Aubergines farcies au riz*

4 aubergines
3 t. de riz brun cuit
1 t. [250 g] de macédoine cuite
ou
1 t. [250 g] de brocoli cuit coupé finement
2 c. à soupe d'huile de tournesol
persil
HERBAMARE

Laver les aubergines. Les placer dans une grande casserole, les recouvrir d'eau et amener à ébullition. Couvrir et cuire à feu lent environ quinze à vingt minutes. Après la cuisson, couper les aubergines en deux dans le sens de la longueur. Enlever soigneusement la pulpe mais en laisser environ ½ cm avec la peau. Mélanger le riz, la macédoine, le brocoli, la pulpe coupée en dés et l'huile. Farcir les aubergines et garnir de persil frais.

4 ***Trois avocats farcis***

3 avocats
2 tomates
1 poivron moyen
4 c. à soupe d'huile de tournesol ou de safran
¼ laitue
1 gousse d'ail (facultatif)
HERBAMARE
jus d'un citron (facultatif)

Couper les avocats en deux et retirer le noyau. Avec une cuillère, enlever la chair. Couper les tomates et la chair d'avocat en dés. Couper la laitue finement. Couper le poivron en petits dés. Préparer la sauce en mélangeant l'huile, le citron, l'assaisonnement et l'ail. Verser sur les autres ingrédients et bien mélanger le tout. Farcir l'écorce de l'avocat avec ce mélange.

5 *Betteraves au persil*

betteraves
3 c. à soupe d'huile de tournesol
1 c. à soupe de persil

Bien laver les betteraves. Les faire cuire à la vapeur, les peler et les couper en tranches. Mélanger l'huile de tournesol et le persil. Laisser reposer environ une heure. Déposer les tranches de betteraves dans une assiette de service, y verser la préparation d'huile et garnir avec un bouquet de persil. On peut remplacer le persil par 1 c. à thé [café] d'origan.

6 *Bouilli de légumes au four*

2 carottes coupées en morceaux
2 pommes de terre coupées en morceaux
quelques morceaux de navet
1 t. [250 g] d'haricots verts
1 t. [250 g] de pois
1 brocoli
1 c. à thé [café] de MORGA
huile de tournesol

Placer les légumes (sauf les pois) dans un plat allant au four. Ajouter environ 1 t. [¼ l] d'eau et le MORGA. Faire cuire couvercle fermé environ 1½ heures à 150°C. Ajouter les pois et laisser cuire jusqu'à ce qu'ils soient tendres. Au moment de servir, verser un peu d'huile de tournesol sur les légumes. Ainsi préparés, on retrouve le goût de tous les légumes.

7 ***Macaronis aux légumes***

2 t. [500 g] de macaronis
1 t. [250 g] de carottes cuites coupées en dés
½ t. [125 g] de poivron vert cuit
1 t. [250 g] de brocoli cuit
1 t. [¼ l] de bouillon fait à base de MORGA
1 c. à thé [café] d'HERBAMARE ou de sel de mer

Cuire les macaronis. Dans un plat de service, mettre les macaronis égouttés et tous les autres ingrédients.

8 *Navets farcis*

navets d'une bonne rondeur
et de grosseur moyenne
purée de pommes de terre et de carottes
1 t. [¼ l] de bouillon fait à base de MORGA
ou à base de légumes

Peler les navets et les cuire à la vapeur mais les laisser croustillants. Creuser au centre. Retirer une bonne partie de la pulpe des navets et préparer une purée avec cette pulpe. Ajouter autant de purée de pommes de terre et de carottes. Remplir les cavités avec les trois ingrédients. Placer les navets farcis dans un plat allant au four avec 1 t. [¼ l] de bouillon fait à base de MORGA ou à base de légumes. Cuire doucement au four en les arrosant souvent.

9 *Poivron farci au tofu*

poivron
tofu aux herbes
persil

Laver et vider le poivron. Farcir chaque poivron avec le tofu aux herbes. Réfrigérer. Au moment de servir, couper en tranches de 1 cm d'épaisseur. Garnir avec le persil ou avec des olives farcies.

Poivron farci au riz brun aux légumes

poivron
du riz brun aux légumes

Laver et vider le poivron. Le faire amollir pendant cinq minutes dans l'eau bouillante. Le farcir avec le riz brun. Servir avec une sauce à la tomate ou avec une sauce béchamel.

10 *Pâté de millet*

2 t. [500 g] de millet cuit
et bien assaisonné
1 t. [250 g] de macédoine
quelques gouttes de sauce soja

Déposer le mélange: millet, macédoine et sauce soja sur une abaisse et recouvrir d'une autre abaisse. Faire cuire au four à 215°C pendant dix minutes et ensuite à 180°C jusqu'à ce que l'abaisse soit dorée. Servir avec la sauce aux champignons.

1 t. [250 g] de champignons coupés en morceaux
1 oignon (facultatif)
1 t. [250 g] de bouillon
2 t. [½ l] de sauce béchamel
1 c. à thé [café] de margarine

Faire cuire les champignons et l'oignon dans le bouillon. Ajouter tous les autres ingrédients. Passer le tout au mélangeur et faire cuire quelques minutes. Pour une consistance plus épaisse, ajouter un peu de farine.

11 *Pommes de terre farcies au brocoli*

4 grosses pommes de terre
brocoli cuit
pincée d'HERBAMARE ou de sel de mer
½ c. à thé [café] de sarriette

Faire cuire les pommes de terre au four. Quand elles sont cuites, les vider. Bien mélanger la chair avec le brocoli et l'assaisonnement. Farcir les pelures. Faire chauffer au four à 180°C pendant quelques minutes. Au moment de servir, ajouter de l'huile de tournesol.

12 *Quiche aux courgettes*

1 abaisse de 21 cm
1 jaune d'œuf
3 œufs entiers organiques
1 t. [¼ l] de lait écrémé
1¼ t. [300 g] de fromage râpé
1 courgette coupée en rondelles
1 pincée de sarriette
1 pincée d'origan
1 c. à thé [café] d'HERBAMARE
ou de sel de mer

Fouetter les œufs et le lait. Ajouter le fromage râpé et l'assaisonnement. Bien mélanger. Laver et couper les courgettes en rondelles de 1 cm. Les faire cuire à la vapeur trois à quatre minutes. Déposer les courgettes dans une abaisse et verser le mélange d'œufs et de lait. Faire cuire au four dix minutes à 200°C. Réduire la chaleur à 180°C et continuer la cuisson pendant vingt minutes. Laisser reposer dix minutes avant de servir.

13 ***Quiche aux légumes***

1 abaisse de 21 cm
1 jaune d'œuf
3 œufs entiers organiques
1 t. [¼ l] de lait écrémé
1¼ t. [300 g] de fromage râpé
½ t. [125 g] de poivron doux coupé finement
1 t. [250 g] de carottes râpées
½ t. [125 g] de céleri coupé en dés
1 pincée de sarriette
1 pincée d'origan
½ c. à thé [café] d'HERBAMARE
ou de sel de mer

Fouetter les œufs et le lait. Ajouter le fromage, l'assaisonnement, le poivron, les carottes et les morceaux de céleri. Bien mélanger. Déposer dans une abaisse. Faire cuire au four dix minutes à 200°C. Réduire la chaleur à 180°C et continuer la cuisson pendant vingt minutes. Laisser reposer dix minutes avant de servir.

14 ***Riz et millet***

3 t. [3/4 l] d'eau
1 c. à thé [café] d'HERBAMARE
1 c. à thé [café] de MORGA
1 oignon
½ t. [125 g] de riz
½ t. [125 g] de millet

Amener l'eau à ébullition. Y jeter le riz bien lavé, le millet, l'oignon et l'assaisonnement. Faire cuire à feu moyen trente minutes. Retirer du feu et laisser reposer dix minutes.

Riz et bulgur

3 t. [3/4 l] d'eau
1 c. à thé [café] d'HERBAMARE
1 c. à thé [café] de MORGA
1 oignon
½ t. [125 g] de riz
½ t. [125 g] de bulgur (blé grillé)

Amener l'eau à ébullition. Y jeter le riz bien lavé, l'oignon et l'assaisonnement. Faire cuire à feu moyen vingt-cinq minutes. Ajouter le bulgur et cuire encore cinq minutes. Retirer du feu et laisser reposer dix minutes.

15 *Spaghettis aux légumes*

500 g de spaghettis
1 t. [¼ l] de bouillon fait à base de MORGA
1 t. [250 g] de carottes coupées en dés
1 t. [250 g] de céleri coupé en dés
1 t. [250] de poivron vert coupé en dés
HERBAMARE ou sel de mer

Faire cuire dans l'eau bouillante les spaghettis de dix à quinze minutes. Rincer à l'eau froide et égoutter. Pendant ce temps, faire cuire à la vapeur les légumes. Mélanger aux spaghettis. Ajouter le bouillon de MORGA, l'HERBAMARE. Bien mélanger et servir.

16 ***Tarte aux poireaux***

1 abaisse de 21 cm
2 poireaux moyens
2 c. à soupe de margarine
1 c. à thé [café] environ de MORGA
3 c. à soupe de farine de blé entier
à pâtisserie
1 t. [¼ l] de lait
1 c. à thé [café] d'HERBAMARE

Bien laver les poireaux. Les couper en rondelles fines et les déposer sur l'abaisse. Faire chauffer un peu le lait pour diluer le MORGA. Dans le mélangeur, mettre le lait et le MORGA, la farine et l'HERBAMARE. Bien mélanger et verser sur les poireaux. Faire cuire pendant dix minutes au four à 200°C et ensuite vingt-cinq minutes à 160°C. *Il faut toujours graisser l'assiette avant d'y mettre l'abaisse.*

Cette recette est délicieuse, et on peut faire un bon potage avec les restes de poireau.

17 *Tomates farcies*

tomates
céleri
carottes
persil
poivron
huile
ou
mayonnaise
feuilles de laitue
HERBAMARE ou sel de mer

Choisir des tomates bien rondes. Enlever une première tranche dans le sens horizontal puis retirer la pulpe. Hacher ou couper finement le céleri, les carottes, le persil, le poivron puis lier ces légumes avec de l'huile ou de la mayonnaise. Assaisonner d'HERBAMARE. Ajouter la pulpe coupée finement. Bien mélanger et farcir les tomates. Servir sur des feuilles de laitue.

18 *Régal à la tomate*

tomates
cresson
épinards
oignon (facultatif)
mayonnaise
feuilles de laitue
persil
HERBAMARE ou sel de mer

Choisir de grosses tomates bien fermes et bien mûres et les couper en tranches épaisses. Hacher finement le cresson, les épinards et l'oignon. Lier avec un peu de mayonnaise et assaisonner. Étendre sur les tranches de tomates. Servir sur des feuilles de laitue.

19 *Tourte aux légumes*

1 couche de nouilles cuites
½ t à 1 t. [125 à 250 ml] de bouillon de MORGA
brocoli cru coupé en dés
céleri coupé en dés
poivron cru coupé en dés
2 t. [500 g] de carottes râpées

Dans un plat allant au four, mettre une couche de nouilles cuites. Verser le ¼ de litre de bouillon. Bien mélanger. Vous pouvez mettre seulement 125 ml de bouillon, si vous préférez un plat moins liquide. Ajouter une couche de brocoli cru, de céleri et de poivron cru coupés en dés. Recouvrir le tout avec les carottes râpées. Cuire au four à 180°C pendant trente minutes.

20 ***Tourte aux sept légumes***

courgette
½ t. [125 g] de brocoli cru coupé en dés
½ t. [125 g] de céleri cru coupé en dés
½ t. [125 g] de poivron vert cru coupé en dés
1 tomate crue coupée en dés
½ t. [125 g] de navet râpé
½ t. [125 g] de carottes râpées
1 t. [¼ l] de bouillon de légumes
du fromage râpé ou en tranche

Couper la courgette en rondelles de 1 cm. Faire cuire à la vapeur pendant trois minutes. Dans un plat allant au four, mettre une couche de chaque légume et saupoudrer chacune d'elles d'HERBA-MARE. Ajouter le bouillon de légumes. Recouvrir le tout de fromage râpé ou de tranches de fromage. Faire cuire au four à 180°C pendant trente minutes.

1 ***Mayonnaise***

1 jaune d'œuf
½ t. [125 ml] d'huile de tournesol
1 c. à soupe de jus de citron
des morceaux de piment (facultatif)
HERBAMARE ou sel de mer

Bien lier au mélangeur le jaune d'œuf, le citron, l'assaisonnement et les morceaux de piment. Ajouter l'huile goutte à goutte sans arrêter de brasser.

2 ***Sauce au fromage***

2 c. à soupe de beurre ou de margarine
2 c. à soupe de farine de sarrasin
ou de blé mou entier
pincée de sel de mer
1 c. à thé [café] de MORGA (facultatif)
1¼ t. [300 ml] de lait
½ t. [125 g] de fromage râpé

Passer le tout au mélangeur pour faire une pâte homogène et cuire lentement jusqu'à ce que le tout épaississe.

3 ***Sauce aux légumes***

1 pomme de terre
1 branche de céleri
1 carotte
quelques tranches de navet
1 oignon
2 t. [½ l] de bouillon de légumes ou de MORGA
thym
sel de mer

Couper tous les légumes en dés. Les mettre dans une casserole avec le bouillon, le thym et le sel de mer. Faire cuire pendant dix minutes. Passer au mélangeur. Ajouter une noix de margarine et un peu d'eau si nécessaire.

4 ***Sauce hongroise***

2 oignons
1 tomate
1 c. à thé [café] de paprika
1 t. [¼ l] de bouillon végétal
1 gousse d'ail
1 c. à thé [café] de cumin
2 c. à thé [café] de fécule de maïs
ou de farine de blé mou entier

Hacher l'oignon et la tomate. Mettre dans une casserole tous les ingrédients, sauf la fécule. Cuire pendant dix minutes à feu lent et lier avec la fécule délayée dans un peu d'eau. Servir sur des légumes chauds.

5 ***Sauce aux fines herbes***

½ oignon finement coupé
½ t. [125 ml] de bouillon fait à base de MORGA
ou bouillon de légumes
2 t. [½ l] de sauce béchamel
1 c. à thé [café] de persil
1 c. à thé [café] d'estragon finement haché
un peu de sarriette

Mélanger le tout et faire chauffer quelques minutes.

Sauce à la tomate

2 t. [½ l] de jus de tomate et de céleri
½ t. [125 g] de farine de blé mou entier
ou de sarrasin

Passer ces deux ingrédients au mélangeur. Ajouter un peu de MORGA, un peu d'assaisonnement et cuire à feu doux.

6 *Sauce au céleri*

2 t. [500 g] de céleri coupé en dés
3 t. [3/4 l] de bouillon fait à base de MORGA
ou bouillon de légumes
1 oignon
½ t. [125 g] de farine de blé entier à pâtisserie

Mettre le céleri et l'oignon dans une casserole, couvrir avec le bouillon et cuire doucement. Lier avec la farine et passer au mélangeur jusqu'à ce que le tout soit homogène. Vous pouvez ajouter 1 c. à soupe de margarine. Bien mélanger.

7 ***Sauce à l'avocat***

3 c. à soupe d'huile de tournesol
1 t. [¼ l] d'eau
1 c. à soupe de persil frais finement coupé
2 c. à thé [café] de basilic
1 t. [250 g] d'avocat coupé en dés
1 c. à thé [café] de jus de citron
ou de sel de mer

Assaisonner d'HERBAMARE. Passer au mélangeur jusqu'à ce que le tout soit homogène. Servir sur des légumes.

8 *Sauce aux carottes*

2 t. [½ l] de bouillon fait à base de MORGA
ou bouillon de légumes
2 carottes moyennes râpées
1 branche de céleri
1 petit oignon
½ t. [125 g] de farine de blé entier à pâtisserie
HERBAMARE

Passer le tout au mélangeur. Faire cuire quelques minutes. Étendre sur des biscottes de blé entier.

Sauce pour brocoli

1 courgette cuite
1 pomme de terre cuite
HERBAMARE
une pincée de sarriette
1 c. à thé [café] de persil

Passer le tout au mélangeur. Pour une consistance plus liquide, ajouter un peu d'eau. Réchauffer quelques minutes.

1 ***Aspic à l'orange***

3 t. [3/4 l] de jus d'orange
3 c. à soupe de gélatine sans saveur
ou d'agar-agar
½ t. [125 ml] d'eau froide

Faire chauffer le jus d'orange. Faire gonfler la gélatine dans l'eau froide et ajouter le jus d'orange. Bien mélanger. Verser dans des moules passés à l'eau froide. Laisser prendre pendant quatre ou cinq heures.

2 ***Fruits frais en gelée***

Procéder comme l'aspic à l'orange

Ajouter:
½ t. [125 g] d'orange coupées en dés
½ t. [125 g] de pamplemousse coupés en dés
½ t. [125 g] d'ananas coupés en dés
½ t. [125 g] de fraises coupées en dés

Verser dans des moules passés à l'eau froide et laisser prendre. Vous pouvez y joindre d'autres fruits de votre choix: des framboises, des bleuets... C'est délicieux!

3 ***Pêches aux framboises***

Couper une pêche en deux, la dénoyauter et farcir sa cavité avec des framboises fraîches passées au mélangeur. Si on veut ajouter un peu de fantaisie à ce dessert, recouvrir d'un filet de crème fouettée sans sucre.

Délice aux fraises

3 t. [3/4 l] de lait
1 t. [¼ l] d'huile de tournesol
½ t. [125 ml] de miel de trèfle liquide
1 c. à thé [café] de vanille
2 c. à soupe de lécithine en granules
1 t. [250 g] de fraises fraîches

Passer tous les ingrédients dans le mélangeur pendant deux minutes. Faire congeler six heures environ.

4 ***Délice au caroube***

3 t. [3/4 l] de lait
1 t. [¼ l] d'huile de tournesol
½ t. [125 ml] de miel de trèfle liquide
1 c. à thé [café] de vanille
2 c. à soupe de lécithine en granules
3 c. à soupe de poudre de caroube

Vous pouvez varier la recette
de la manière suivante:
3 t. [3/4 l] de lait
1 t. [¼ l] de crème 15%
½ t. [125 ml] d'huile de tournesol

Mettre tous les ingrédients dans le mélangeur pendant deux minutes. Faire congeler six heures environ. Si on emploie de la crème 35%, il ne faut pas mettre d'huile de tournesol. Sortir le mélange du congélateur deux heures avant de servir pour qu'il soit plus fondant. Conserver au réfrigérateur.

5 ***Salade d'orange et d'ananas***

Un ananas bien mûr, pelé, coupé en dés et mélanger autant d'oranges coupées en dés et 125 g d'amandes crues. Bien mélanger le tout et servir.

Coupe de raisin frais

Mélanger:
1 grappe de raisin rouge
1 grappe de raisin vert
1 grappe de raisin noir ribier

Très énergétique!

6 *Coupe de melon frais*

½ cantaloup [melon jaune] coupé en tranches
½ melon de miel [melon vert] coupé en tranches

Peler le cantaloup et le melon. Les trancher. Au moment de servir alterner les tranches de fruits et les arranger de manière à ce qu'elles se chevauchent. Garnir de boules de pastèques. Très rafraîchissant!

Floralies d'orange

Choisir des oranges d'une bonne rondeur et dont la pelure est mince. Enlever la pelure, sans briser la pulpe autant que possible. Séparer les quartiers en ayant soin de les laisser attachés par le bas, donnant ainsi l'effet de pétales de roses. Remplir le centre avec de la compote de pommes crues non sucrée ou avec des fraises fraîches coupées en dés.

7 ***Délice d'agrumes***

1 orange moyenne
1 mandarine
1 clémentine
½ pamplemousse
fromage cottage

Peler les fruits, les défaire en quartiers et les placer sur le pourtour d'une assiette. Dans le centre, mettre une grosse boule de fromage cottage ou à la pie.

Vous pouvez varier la recette
de la manière suivante:
1 orange moyenne
1 mandarine
1 clémentine
½ pamplemousse
des noix crues

Peler les fruits, les défaire en quartiers, les placer sur le pourtour d'une assiette. Dans le centre, mettre les noix crues.

8 ### *Abaisse*

1/3 t. [75 ml] d'huile
1½ t. [375 ml] de farine de blé entier à pâtisserie
1 c. à thé [café] de sel de mer
8 c. à soupe d'eau

Mélanger la farine et le sel de mer. Y ajouter l'huile et l'eau très chaude (4 c. à soupe environ). Bien mélanger. La recette donne deux abaisses de 21 cm de diamètre.

Table des matières

Vous pouvez joindre
Lucile Martin Bordeleau
Canada: (514) 688-8205

Inédi-éditeur
Service éditorial
4855, Chemin de la Côte Saint-Luc, N° 511
Montréal – Canada – H3W 2H5
(514) 528-5843
(514) 486-9013

Diffusion
Belgique: Vander/Bruxelles
Canada: Agence de distribution populaire/Montréal
Luxembourg: Vander/Bruxelles
Suisse: Transat SA/Genève

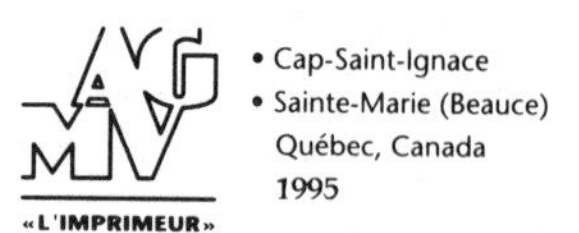